Lili
veut être une star

Laurenco 403

*Avec la collaboration
de Renaud de Saint Mars*

Série dirigée par Dominique de Saint Mars

ISBN : 2-88480-046-8

Ainsi va la vie

Lili
veut être une star

Dominique de Saint Mars

Serge Bloch

CALLIGRAM

CHRISTIAN GALLIMARD

7

8

9

10

* Casting (mot anglais) : essai pour être sélectionné dans un spectacle, ou rejeté...
* Look (verbe anglais) : ça veut dire regarder, avoir l'air.

* Top (mot anglais) : ça veut dire le haut.

12

13

14

* Horoscope : prédiction de la destinée d'une personne, d'après l'influence des astres au moment de sa naissance.

15

16

* Fashion (mot anglais) : ça veut dire : mode.
* Impresario : qui s'occupe de la publicité et des contrats d'un artiste.

17

19

20

21

23

27

28

29

30

31

32

33

34

36

37

*Chorégraphie : organisation des danses dans un spectacle.

40

Et toi...

Est-ce qu'il t'est arrivé la même histoire qu'à Lili ?

Aimes-tu la musique, la danse, les chansons, la célébrité,
les habits, le maquillage, te regarder dans la glace ?

C'est pour jouer aux grands, se déguiser,
se plaire entre copines ou copains ? trouver un métier ?

Apprends-tu la musique, la danse, le théâtre ? Acceptes-tu
les efforts ? T'entraînes-tu à chanter en public ?

Si tu es une fille, aimes-tu les vêtements sexy ? Comprends-tu que ça peut être provocant et que ce n'est pas de ton âge ?

Un de tes parents te pousse à faire la star ? Ça te gêne ? Tu veux lui faire plaisir ? Tu préfèrerais choisir tout seul ?

Es-tu assez regardé dans ta famille ou on fait plus attention à ton frère ou à ta sœur ? T'es-tu déjà senti « célèbre » ? Où ?

Parce que ça t'énerve ? tu trouves ça idiot ? ridicule ?
trop adulte ? trop sexy pour ton âge ? superficiel ?

Ça t'empêche de te faire des amis ? Ou n'oses-tu pas
le dire de peur qu'on se moque de toi ou qu'on te rejette.

Préfères-tu jouer à autre chose, lire, faire du sport,
de la musique, danser, discuter, dire des blagues ?

Tu as l'impression d'exister, d'avoir ta place en famille, en classe ? On t'écoute, on reconnaît ce que tu fais de bien ?

Tes parents t'emmènent à des spectacles ? Ils ne te laissent pas t'habiller comme tu veux, ni tout acheter ?

> Mère Thérésa, Einstein Napoléon, De Gaulle, Marie Curie, Coluche ...

Tu connais des gens célèbres pour leur intelligence, talent, générosité et des gens bien qui ne sont pas célèbres ?

**Après avoir réfléchi
à ces questions
sur les stars
tu peux en parler
avec tes parents ou tes amis.**